H. G. Schwieger · Das ABC guter Gedanken

Die Blaue Reihe · H. G. Schwieger

Das ABC guter Gedanken

Ein Stundenbuch unserer Tage –
mit Geburtstagskalender

B | R
V | W

Blaue Reihe-Verlag
Wiesbaden

Umschlag: Lesende Maria (Ausschnitt) Lorenzo Costa, um
1460–1535, Dresden, Gemäldegalerie

© 1983 by H. G. Schwieger, Corconio/Wiesbaden
Lithos: Industriedienst, Wiesbaden
Gesamtherstellung: Kösel, Kempten
ISBN 3-921 261-27-9

Das ABC guter Gedanken – ein Stundenbuch unserer Tage.

Die Ansicht, daß ein guter Aphorismus die Weisheit eines ganzen Buches in einem Satz zum Ausdruck bringen kann, ist durchaus berechtigt. Deshalb wurde der Ausspruch des Dichters Theodor Fontane dieser Aphorismen-Sammlung, die 300 Sentenzen von 200 Autoren enthält, bewußt vorangestellt.

Ebenso wurde der Untertitel „Ein Stundenbuch unserer Tage" mit Bedacht gewählt, obwohl das „ABC guter Gedanken" mit dem Charakter der Stundenbücher des Mittelalters keinesfalls verglichen werden kann, wohl aber mit deren Zielsetzung, einer besinnlichen Erbauung.

„Stundenbücher" im historischen Sinne waren kostbare handschriftliche Gebetsammlungen für die persönliche häusliche Andacht. Ihr Inhalt war nach den Stunden des Tages geordnet; sie entstanden bereits im 12. Jahrhundert in Anlehnung an den Psalter.

Weder der Inhalt der Gebete noch ihre Zusammenstellung wurden von der Kirche überwacht. Deshalb sind die Stundenbücher aufschlußreiche Zeugnisse der Laien-Frömmigkeit dieser frühen Jahrhunderte.

Vielleicht würde man heute weniger von ihnen sprechen, wenn sie nicht wegen ihrer überaus kunstvollen Buchmalereien das Interesse und die Sammelleidenschaft der Bücherliebhaber erregt hätten.

Wohl das schönste, die Königin der Handschriften, ist das berühmte Stundenbuch des Herzogs Jean de Berry, ein Bruder Karl V., das im Schloß in Chantilly bei Paris aufbewahrt wird.

Fünf Jahre hatten die berühmtesten Buchmaler jener Zeit, die Brüder Paul, Hermann und Johan von Limburg bereits daran gearbeitet, als der Herzog im Jahre 1416 starb und das Werk unvollendet hinterließ; es wurde erst im Jahre 1485 von dem großen Künstler Jean Colombe fertiggestellt. Man nimmt an, daß für das im wahrsten Sinne „unschätzbare" und unverkäufliche Stundenbuch auf einer Auktion über 25 Millionen Schweizer Franken geboten würden.

Die Zahl derer, die in unserer Zeit täglich oder oft die Bibel, Katechismen oder auch sogenannte „Losungen" zur Hand nehmen, ist beträchtlich. Dennoch darf man wohl annehmen, daß es für den Menschen der Gegenwart nicht die Regel ist.

Ungeachtet dessen gibt es viele, die zur Besinnung neigen und sich in einer Stunde der Muße einer beschaulichen Lektüre bedienen.

Vielleicht kann das „ABC guter Gedanken" dafür auf dem Nachttisch liegen und die Aufgabe eines schlichten Stundenbuches unserer Tage übernehmen.

Gestochen wurde das abgebildete ABC von Lucas Kilian (1579–1637) im Jahre 1627 in Augsburg. Von seinen Zeitgenossen wurde er zu den fähigsten Kupferstechern gezählt. Gelobt wurde seine erstaunliche Schaffenskraft; zuweilen brachte er es auf zwei Bildnisse am Tage. Zu seinen Ornamentalstichen zählt das ABC, das mit scharf gesehenen, klar gezeichneten, oft launigen Figuren untermalt ist. Die den Buchstaben zugeordneten Figuren und Begriffe sind unter den Abbildungen vermerkt. Die Bildnisse von Lucas Kilian waren von starkem Einfluß auf die deutschen und holländischen Stecher des 17. Jahrhunderts.

A, Astronom, gestochen von L. Kilian

Alter · Andere · Angst
Ansichten · Arbeit
Augenblick · Ausdauer

*Das Altern ist wie die Woge im Meer. Wer sich
von ihr tragen läßt, treibt obenauf. Wer sich
dagegen aufbäumt, geht unter.*

Gertrud von Le fort

Das Alter verklärt oder versteinert.

Marie von Ebner-Eschenbach

*Alt ist man dann, wenn man an der Vergan-
genheit mehr Freude hat als an der Zukunft.*

John Knittel

*Es kommt nicht darauf an, wie alt man ist,
sondern wie man alt ist.*

Carl Ochsenius

*Die Alten sind notleidend, wenn sie keine
Familie haben. – aber auch die Familie ist
notleidend, wenn sie keine Alten hat.*

Goeken

*Schlag dem Andern keine Wunde,
denn der Andere – das bist Du!*

Isolde Kurz

*Das Erstaunliche ist, daß wir tatsächlich
unseren Nächsten lieben wie uns selbst: Wir
tun anderen, was wir uns selbst tun. Wir
hassen andere, wenn wir uns selbst hassen. Wir
sind anderen gegenüber tolerant, wenn wir
uns selbst tolerieren. Wir vergeben anderen,
wenn wir uns selbst vergeben. Nicht Selbstlie-
be, sondern Selbsthaß ist die Wurzel allen
Übels, das unsere Welt heimsucht.*

Eric Hoffer

In andrer Glück sein eignes finden,
ist dieses Lebens Seligkeit,
und andrer Menschen Wohlfahrt
gründen, schafft
göttliche Zufriedenheit

Christoph Martin Wieland

Nur jeden Tag
eine halbe Stunde gesät für andere
und du wanderst im Alter
durch ein Ährenfeld der Liebe,
der Freundschaft und der Freude.

Emil Frommel

„Mut heißt: die Angst auszuhalten und sie zu
überwinden".

Theodor Bovet

„Tue das, wovor du dich fürchtest und das
Ende deiner Angst ist gewiß."

Ralph Waldo Emerson

Die Menschen, die sich rühmen, ihre Ansicht
niemals zu wechseln, sind Toren, die an ihre
Unfehlbarkeit glauben.

Honoré de Balzac

Die Arbeit hält drei große Übel fern: die
Langeweile, das Laster und die Not.

François Marie Arouet Voltaire

Eine Arbeit, der all' unsere Liebe gehört und
die innerlich alle unsere Tage und Nächte
begleitet, wächst selbst in einer Zeit scheinba-
ren Stillstandes. Auch wo anscheinend nichts
geschieht, reift in der Stille das Werk.

Rolf Peter

Courage ist gut,
Ausdauer ist besser.

Theodor Fontane

B, Bildhauer, gestochen von L. Kilian

Begeisterung · Beruf
Besitz · Bibel · Bildung
Briefe · Bücher · Bürde

Nichts Großes wurde jemals ohne Begeisterung vollbracht. Der Weg des Lebens ist wunderbar. Er beruht auf völliger Hingabe. In großen Augenblicken der Geschichte macht die Kraft der Ideen das Vollbringen leicht, ähnlich wie wir es bei den Schöpfungen des Genius und der Religion sehen.

Ralph Waldo Emerson

Der wahre Beruf des Menschen ist, zu sich selbst zu kommen.

Hermann Hesse

Reich ist man nicht durch das, was man besitzt, sondern durch das, was man mit Würde zu entbehren weiß, und es könnte sein, daß die Menschheit reicher würde, indem sie ärmer wird, und gewinnt, indem sie verliert.

Immanuel Kant

Vollkommener Besitz erweist sich nur im Geben. Alles, was du nicht herzugeben vermagst, besitzt dich.

André Gide

Die Bibel ist so voller Gehalt, daß sie mehr als jedes andere Buch Stoff zum Nachdenken und Gelegenheit zu Betrachtungen über die menschlichen Dinge darbietet.

Johann Wolfgang von Goethe

Es ist ein Beweis hoher Bildung, die größten Dinge auf die einfachste Art zu sagen

Ralph Waldo Emerson

Unserer Zeit wird klar, daß „Bilden" etwas anderes ist als „Lehren"; als Wissenserwerb und Wissensordnung. Bildung ist eine Arbeit am lebendigen Sein; an den lebendigen Kräften und Strebungen des Menschen; an seiner

inneren und äußeren Gestalt; an seiner Innen-
welt und Umwelt.

Romano Guardini

Gebildet ist der, der weiß, wo er findet, was er
nicht weiß.

Chinesisches Sprichwort

Je gehetzter die Zeiten werden, um so mehr
wird bisweilen Zeit zum Geschenk. Jeder von
uns kennt ein paar Menschen, die sich, oft seit
Jahren, eine besinnliche Stunde mit ihm wün-
schen. Wer nicht weiß, was er diesen Menschen
schenken soll, schenke ihnen die Stunde, die er
für einen guten Brief an sie benötigt.

Sigmund Graff

Wir haben gelernt,
wie die Vögel zu fliegen,
wie die Fische zu schwimmen.
Wir haben aber nicht
die einfache Kunst erlernt,
als Brüder zu leben.

Martin Luther King

Wer sein Herz und seinen Verstand aber
nähren und entwickeln will, für den gibt es
nichts besseres als Bücher.

Ernst Heimeran

Bücher lesen, heißt wandern, gehen in ferne
Welten, aus den Stuben, über die Sterne.

Jean Paul

Wenn dich eine Bürde schwer drückt, so vergiß
nie, daß der Mensch durch das Schwertragen
sehr stark wird; aber was du nicht gerne
trägst, bürde nicht leicht einem anderen auf.

Johann Heinrich Pestalozzi

C, Cirkel, gestochen von L. Kilian

Charakter · Courage

Das Wesentliche eines Charakters sehe ich in der Selbstgenügsamkeit. Ich habe Ehrfurcht vor einem Menschen, der innere Reichtümer besitzt. Ich kann ihn mir nie allein, arm unglücklich oder als Bittsteller, sondern immer nur als Schutzherr, Wohltäter und glückseligen Menschen vorstellen.
Charakter bedeutet Leben aus der Mitte. Er kann nicht von seiner Stelle gerückt oder gestürzt werden.

Ralph Waldo Emerson

Der Charakter bildet uns auf einer höheren Ebene als der Intellekt.
Die Gemütsverfassung eines Menschen ist der unfehlbare Maßstab für ein wirkliches Fortschreiten.

Ralph Waldo Emerson

Es besteht ein Unterschied zwischen Talent und Charakter. Talent heißt, mit Geschick auf alten und ausgetretenen Pfaden gehen. Charakter ist die Fähigkeit, kraftvoll und kühn einen Weg zu neuen und besseren Zielen zu schaffen.

Ralph Waldo Emerson

Nichts Willkürliches und nichts Künstliches ist von Bestand. Das wahre Leben und die innere Befriedigung eines Menschen scheint den Härten des Schicksals Trotz zu bieten und sich überlegen in allen Wechselfällen des Daseins zu behaupten. Unter allen Regierungsformen bleibt der Einfluß des Charakters derselbe.

Ralph Waldo Emerson

Ein Mann mit Courage ist so gut wie eine Mehrheit

Andren Jachson

D, Doktor, gestochen von L. Kilian

Dank · Dasein · Dienen
Dummheit

Dankbarkeit ist das Gedächtnis des Herzens.

Hans Wallhof

Dankbar sein zu können ist eine Tugend

Theodor Heuss

Der schönste Dank für Gottes Gaben besteht darin, daß man sie weitergibt.

Michael Faulhaber

O Gott, der du uns soviel gegeben hast, gib uns in deiner Gnade noch eines, ein dankbares Herz.

George Herbert (1593–1633)

Zweifellos haben wir alle Pflichten und Verpflichtungen gegen unsere Mitmenschen. Doch merkwürdigerweise richtet der Mensch in der modernen, neurotischen Gesellschaft seine ganze Energie auf den Kampf ums Dasein statt auf das Dasein selbst. Es gehört schon eine Menge Mut dazu, schlicht und einfach zu erklären, daß der Zweck des Lebens ist, sich seiner zu erfreuen.

Lin Yutang

Wenn wir das Gute annehmen, wo wir es finden, ohne viel zu fragen, so werden wir ein überreichliches Maß davon finden. Alles Gute liegt auf dem Wege. In unserem Dasein liegt die gemäßigte Zone in der Mitte.

Ralph Waldo Emerson

Der eine dient der Gesellschaft, indem er ein Geschäft führt, in dem soundsoviel Angestellte ihren Lebensunterhalt finden, der andere, indem er seinen Besitz hingibt, um Menschen zu Hilfe zukommen. Zwischen diese beiden extremen Arten des Dienens entscheide sich

16

jeder nach seiner Verantwortung, wie sie ihm durch die Umstände seines Lebens bestimmt ist

Albert Schweitzer

Der Kluge ärgert sich über die Dummheiten, die er machte, der Weise belächelt sie.

Curt Goetz

Man sollte nie die gleiche Dummheit zweimal machen, denn die Auswahl ist groß genug.

Bertrand Russell

E, Esel, gestochen von L. Kilian

Ehe · Einsamkeit · Einsicht
Erinnerung · Erfahrungen
Erfolg · Extrem

Natürlich ist durch die Liebe noch niemals einer glücklich geworden. Aber mancher, der aus Liebe geheiratet hat, ist durch die Ehe glücklich geworden.

Peter Bamm

Ein Ehepaar hat es in der Hand, aus einer Gemeinschaft ein Duell oder ein Duett zu machen.

Vittorio de Sica

Nicht der Mangel der Liebe, sondern der Mangel der Freundschaft macht die unglücklichen Ehen.

Friedrich Wilhelm Nietzsche

Es ist schon gut, wenn sich einer einmal in der Einsamkeit auf sich selber besinnt, aber er darf kein Stadeltor zwischen sich tun und die Welt. Denn in die Welt und unter die Menschen ist er hineingeschaffen, und dahinein gehört er auch.

Otto Ludwig

Einsamkeit ist der Weg, auf dem das Schicksal den Menschen zu sich selber führen will.

Hermann Hesse

Wir müssen tiefere Einsicht haben, sonst stoßen wir gegeneinander und verfehlen den Weg zur Sicherung unseres Lebens. Aber der kalte Verstand ist selbstsüchtig und unfruchtbar.
Das Geheimnis des Erfolges in der Gesellschaft ist aber ein gewisser Zusammenklang von Herzlichkeit und Kontaktfähigkeit.

Ralph Waldo Emerson

Erfahrungen vererben sich nicht –
jeder muß sie allein machen.

Kurt Tucholsky

Die nützlichsten Erfahrungen, die man
macht, sind die schlechten.

Thornton Wilder

Die Erinnerung ist der Nachsommer der
menschlichen Freuden.

Asta Nielsen

Der Erfolg ist das Kind des Wagemuts

Benjamin Disraeli

Erfolg im Leben hat der gehabt, der anständig
gelebt, oft gelacht und viel geliebt hat; der die
Achtung kluger Männer und die Liebe der
Kinder gewann; der seinen Platz ausgefüllt
und seine Aufgabe bewältigt hat, der die Welt
besser zurückläßt, als er sie vorfand, sei es
durch eine verbesserte Mohnsorte, ein voll-
kommenes Gedicht oder eine gerettete Seele;
der stets die Schönheit der Natur zu schätzen
wußte und das auch zu erkennen gab; der das
Beste in anderen sah und selbst sein Bestes gab.

Robert Louis Stevenson

Seine Größe zeigt man nicht, indem man sich
zu einem Extrem bekennt, sondern indem
man beide in sich vereinigt.

Blaise Pascal

F, Fischer, gestochen von L. Kilian

Feste · Fragen · Freiheit
Freude · Freundlichkeit
Freundschaft · Friede
Frohsinn · Furcht

Ein Leben ohne Feste
ist ein langer Weg ohne Einkehr.

Demokrit

Fragen können oft wichtiger sein als Ant-
worten.

Claus Bremer

Freiheit ist eine kräftigere Herzstärkung als
Tokayer.

Matthias Claudius

Freiheit bedeutet Verantwortlichkeit. Das ist
der Grund, weshalb die meisten Menschen
sich vor ihr fürchten.

George Bernard Shaw

Wir binden uns an das Gesetz, um frei zu sein.

Cicero

Die Freude steckt nicht in den Dingen, son-
dern im Innersten unserer Seele.

Theresia von Lisieux

Freude ist kostbar wie Gold,
aber Gold ist nicht so kostbar wie Freude.

Adalbert Balling

Die Freude ist das Salz im menschlichen
Leben.
Ohne Freude ist alles abgeschmackt.

Johann Jakob Wilhelm Heinse

Wenn wir wüßten, wie kurz das Leben ist,
würden wir uns gegenseitig mehr Freude
machen.

Ricarda Huch

Freundlichkeit zahlt die höchste Dividende.

Georges Simenon

So wie ich die Freundschaft für etwas Heiliges halte, so ist auch der Schmerz, den ich erleide, wenn sich ein Freund als falsch erweist, ein ganz großer.

Anwar el Sadat

Freundschaft kritisiert nicht in der Stunde des Leidens, sagt nicht nüchtern verständig: wenn du es so oder so gemacht hättest; sondern öffnet einfach die Arme und spricht: ich frage nicht, ich urteile nicht, hier ist ein Herz, daran ruh aus.

Malvida von Meysenburg

Von allen Gütern, die die Weisheit sich zur Glückseligkeit des ganzen Lebens zu verschaffen weiß, ist bei weitem das größte die Fähigkeit, sich Freunde zu erwerben.

Epikur

Die Freundschaft soll nicht das Zollamt sein, um pflichtmäßige Abgaben durch sie zu erlangen, sondern eine Quelle für wahre Freude und Verschönerung des Lebens.

Ambrosius

Und wahre Freunde werden keinem fehlen, der sie zu haben wert und selbst ein Freund zu sein fähig ist.

Ewald von Kleist

Der Friede kommt auf die Erde nur durch die Herzen der einzelnen Menschen; er findet keine anderen Tore.

Joseph Wittig

Glück liegt in der Befreiung von Furcht.

Walter Rathenau

G, Goldschmied, gestochen von Lucas Kilian

Gebet · Geduld · Gelassenheit
Geld · Geselligkeit · Gesundheit
Gewissen · Glaube · Gleichgültigkeit
Gleichheit · Glück · Gott
Güte · Gutsein

Ach Herr, laß Du mich trachten:
nicht, daß ich getröstet werde – sondern daß
ich andere tröste;
nicht, daß ich verstanden werde – sondern daß
ich andere verstehe;
nicht, daß ich geliebt werde – sondern daß ich
andere liebe.
Denn:
Wer da hingibt – der empfängt;
wer sich selbst vergißt – der findet;
wer verzeiht – dem wird verziehen;
und wer da stirbt – erwacht zum ewigen
Leben.

Gebet von Franziskus von Assisi

Gebete bewegen mich und helfen mir. Es tut
mir gut, bewegt zu sein.

George Bernhard Shaw

Geduld, du ungeheures Wort!
Wer dich erlebt, wer dich begreift,
erlebt hinfort, begreift hinfort,
wie Gottheit schafft, wie Gottheit reift.

Christian Morgenstern

Stets hielt auch ich die Gelassenheit für eines
der höchsten Güter, welche der Mensch auf
dieser Erde erringen kann; aber die Gelassen-
heit unter allen Umständen, die Gelassenheit
jedem Wesen und Dinge gegenüber, die Gelas-
senheit in jeder Lage, sei sie bequem oder
unbequem, drohend oder lächelnd, gut oder
böse. Wenn die Selbstüberwindung das Höch-
ste ist, was der Mensch in ethischer Beziehung
erreichen kann, so ist die Gelassenheit, die
absolute Gelassenheit, eine sehr hohe Stufe
oder Leiter, von welcher der Mensch auf das
Weltgewirr hinabsieht.

Wilhelm Raabe

Ein Haus ohne Geselligkeit, ist wie eine Blume ohne Duft.

Sigismund von Radecki

Gesundheit ist ein Geschenk, das man sich selber machen muß.

Schwedisches Sprichwort

Das Gewissen hindert uns nicht, Sünden zu begehen, aber es hindert uns leider, die Sünden zu genießen.

Salvador de Madariaga

Je mehr Geld man hat, desto mehr Leute lernt man kennen, mit denen einen nichts verbindet außer Geld.

Tennessee Williams

Das Geld gleicht dem Meerwasser: Je mehr man davon trinkt, desto durstiger wird man.

Arthur Schopenhauer

Das Geld, das man besitzt, ist das Instrument der Freiheit. Das Geld, dem man nachjagt, ist das Instrument der Knechtschaft.

Jean-Jacques Rousseau

Der Bevollmächtigte Gottes ist das Gewissen.

Theodor Gottlieb von Hippel

Die Furcht ist das gerade Gegenteil des Glaubens und der Glaube ist vielleicht die stärkste und wirksamste geistige Kraft, die wir besitzen oder erzeugen können.

Ralph Waldo Trine

Glaube ist der Vogel, welcher singt, auch wenn die Nacht noch dunkel ist.

Rabindranath Tagore

*Dem Menschen einen Glauben schenken,
heißt seine Kraft verzehnfachen*

Gustave Le Bon

*Gleichheit bedeutet nicht Nivellierung. Es
bedeutet vielmehr, jedem Menschen die
Chance zu geben, mit dem anderen gleich zu
sein.*

Jean Améry

*Die Gefahr der Welt in ethischen Dingen ist
die Gleichgültigkeit.*

Carl Friedrich von Weizsäcker

*Das Glück ist ein Mosaikbild, das aus lauter
unscheinbaren, kleinen Freuden zusammen-
gesetzt ist.*

Daniel Spitzer

*Das Glück ist überall, wo die Leute Augen
dafür haben.*

Raoul Follerau

*Je älter man wird, um so klarer wird einem,
daß Güte nur ein anderes Wort ist für Glück.*

Lionel Barrymore

*Glück ist oft nach drei Jahren, was heute noch
als Unglück erscheint*

Kung Futse

*Wir können nicht tiefer fallen als in die Hand
Gottes.*

Peter Horton

Suche Gott nirgends als überall.

Jean Paul Sartre

*Gutsein ist ein gewaltigeres Abenteuer als eine
Weltumseglung.*

Gilbert Keith Chesterton

H, Hutmacher, gestochen von L. Kilian

Hast · Heimat · Heiterkeit · Herz
Höflichkeit · Hoffnung
Humor · Hunger

Die Hast ist die gefährliche Schwester der Eile.

Mara Joswich

Wer hartherzig ist, leidet an der gefährlichsten Herzkrankheit.

Antony Hope

Und wenn du dreimal um die Welt wanderst, in der Heimat ist Gott dir am nächsten, das ist ihr Geheimnis.

Hans Friedrich Blunck

Heiterkeit ist der Himmel, unter dem alles gedeiht.

Jean Paul

Heiterkeit und Güte grenzen nahe aneinander.

Edgar Schuhmacher

Höflichkeit ist ein Staatspapier des Herzens, das um so größere Zinsen trägt, je unsicherer das Kapital ist

Ludwig Börne

Der Himmel hat den Menschen als Gegengewicht gegen die vielen Mühseligkeiten drei Dinge gegeben: die Hoffnung, den Schlaf und das Lachen.

Immanuel Kant

Solang man lebt, ist nichts endgültig.

Arnold Zweig

Wenn du klug bist, so mische eines mit dem anderen, hoffe nicht ohne Zweifel und zweifle nicht ohne Hoffnung.

Seneca

Humor ist der Versuch, sich selbst nicht ununterbrochen wichtig zu nehmen.

Ernst Kreuder

Humor ist keine Gabe des Geistes, es ist eine Gabe des Herzens.

Christian Morgenstern

Ein humorvoller Mensch ist eine Wohltat für seine Umgebung.

Paul Deitenbeck

Hunger ist nicht nur der beste Koch, sondern auch der beste Arzt.

Peter Altenberg

I, J, Jungfrau, gestochen von L. Kilian
Die Buchstaben I und J sind in seinem Alphabet gleich.

Ich · Idee · Illusion
Intellekt · Interesse
Irrtum · Jahre · Jugend

Je mehr man Ich ist, um so mehr geht man den anderen mit seinem Ich auf die Nerven

Jean Cocteau

Der Schlüssel zu jedem Menschen ist sein Denken. Mag er noch so unwirsch aussehen, so gehorcht er doch einem Steuer, nämlich der Idee, nach der sich die Wertordnung aller seiner Handlungen bestimmt. Er kann diese Idee nur dann ändern, wenn man ihm eine neue Idee zeigt, die der seinigen überlegen ist.

Ralph Waldo Emerson

Alle Illusionen sterben – aber nur Schwächlinge sterben mit ihnen.

Charles Morgan

Trenne dich nicht von deinen Illusionen; wenn du sie verloren hast, kannst du zwar immer noch existieren, aber du hast aufgehört zu leben.

Mark Twain

Um gemeinsam leben zu können, muß man sich einen Rest von Illusionen bewahren.

Gabriel Marcel

Auch sollten wir uns wohl davor hüten, den Intellekt zu unserem Gott zu erheben; er hat zwar gewaltige Muskeln, aber keine Persönlichkeit. Er kann nicht führen, sondern nur dienen, und er ist nicht wählerisch in der Wahl seines Herrn.

Albert Einstein

Der Mensch ist das Produkt seiner Interessen.

Günther Weisenborn

Ich habe viel geirrt, aber ich habe immer die Tapferkeit gehabt, meinen Irrtum zu erkennen und die Erkenntnis auch auszusprechen. Ich bin auch schuldig geworden, aber ich bin nie mit einem billigen Wort darüber hinweggegangen.

Ernst Wiechert

Man bleibt jung, solange man noch lernen, neue Gewohnheiten annehmen und Widerspruch ertragen kann.

Marie von Ebner-Eschenbach

‚Die besten Jahre‘ – das ist jene Zeit im Leben, in der ein Mann zurückblickt und entdeckt, daß der Berg, den er erklommen, nur ein Maulwurfshügel war.

Joseph H. Peck

Die Jugend ist die Zeit, Weisheit zu lernen, das Alter die Zeit, sie auszuüben.

Jean-Jacques Rousseau

Die Jugend leidet nicht nur an unerfüllten Wünschen, sondern auch an unerprobten Kräften. Sie sieht im Geist das Bild einer Laufbahn vor sich, dem keine Wirklichkeit entspricht. Sie leidet unter der mangelnden Übereinstimmung zwischen den Dingen und den Gedanken.

Ralph Waldo Emerson

Jung sein heißt nicht 20 Jahre alt sein. Jung ist der Mensch, den jede Ungerechtigkeit in der Welt aufregt.

Juan José Arreola

K, Kästner, gestochen von L. Kilian

Kinder · Konzentration
Kräfte · Krankheit
Kritik · Kunst

Wo Kinder sind, da ist ein goldenes Zeitalter.

Novalis

Ein Kind ist ein Buch, aus dem wir lesen und in das wir schreiben sollen.

Peter Rosegger

Konzentration ist das Geheimnis der Stärke in Politik, Krieg, Geschäft, mit anderen Worten: in allen menschlichen Angelegenheiten.

Ralph Waldo Emerson

Kraft kommt nicht aus körperlichen Fähigkeiten. Sie entspringt einem unbeugsamen Willen.

Mahatma Gandhi

Je mehr man sich verbraucht, desto mehr Kräfte hat man.

Alma Mahler-Werfel

Man hat gegen sich selbst und fast noch mehr gegen andere die Pflicht, nicht mehr und nicht länger krank zu sein, als eben unvermeidlich ist; man kürzt sich und andern dadurch die frohen Lebensstunden ab und gibt gar nichts dafür.

Theodor Fontane

Nur wenige Menschen sind klug genug, hilfreichen Tadel nichtssagendem Lobe vorzuziehen.

La Rochefoucauld

Ein Kunstwerk erzieht nicht durch Worte, sondern durch die Tatsache seines Daseins. Es soll uns auch nicht von uns erlösen, sondern uns zu uns führen, Leben in uns werden.

Boesch

Man muß den Mut haben, in der Kunst zu lieben, was einem wirklich zusagt, und es sich eingestehen. So kann man vorwärtskommen.

Friedrich Wilhelm Nietzsche

Die Wissenschaft ist ein wunderbares Werkzeug zur Entdeckung der Wirklichkeit, die Kunst bietet uns eine Zuflucht in der Unwirklichkeit.

André Maurois

Für mich ist das Theater die größte und unmittelbarste aller Kunstformen, weil es dazu beiträgt, daß eine Gemeinschaft von Menschen spürt, was das heißt: ein Mensch zu sein.

Thornton Wilder

L, Lautenist, gestochen von L. Kilian

Lachen · Lächeln · Leben
Lebenskünstler · Leid
Leidenschaft · Lernen
Lesen · Liebe

Wer den Tag mit Lachen beginnt, hat ihn bereits gewonnen. Tschechisches Sprichwort

Lachen und Lächeln sind Tor und Pforte, durch die viel Gutes in den Menschen hineinhuschen kann. Christian Morgenstern

Ein Lächeln kostet weniger als elektrisches Licht und erhellt das ganze Haus. Koreanisches Sprichwort

Ein Lächeln ist die kürzeste Entfernung zwischen zwei Menschen. Victor Borge

Nicht auf das Leben kommt es an, sondern auf den Schwung, mit dem wir es anpacken Hugh Walpole

Immer auf dem Sprung stehen – das nenne ich Leben. Von Sicherheit eingewiegt werden bedeutet sicheren Tod. Oscar Wilde

Man muß die Musik des Lebens hören. Die meisten hören nur die Dissonanzen. Theodor Fontane

Das Leben ist kurz, und wir haben nie genug Zeit, die Herzen unserer Weggenossen zu erfreuen. Drum säume nicht, Liebe zu spenden! Eile dich, deinen Mitmenschen Freundlichkeiten zu erweisen. Henri Frédéric Amiel

Man muß alt geworden sein, also lange gelebt haben, um zu erkennen, wie kurz das Leben ist. Arthur Schopenhauer

Ein Lebenskünstler ist, wer sich von den lästigen Kleinkriegen des Lebens nicht kleinkriegen läßt. Curt Goetz

*Durch das Leid hindurch, nicht am Leid
vorbei, geht der Weg zur Freude.*

Karl Barth

*Das Leiden ist, von der einen Seite betrachtet,
ein Unglück und, von der anderen betrachtet,
eine Schule*

Samuel Smiles

*Großes Leid baut ein menschliches Wesen auf
und führt es in den Bereich der Selbsterkenntnis.*

Anwar el Sadat

*Echte Leidenschaft
ist in keinem Alter lächerlich.
Ich sehe nichts Komisches
in Goethes letzter Liebe.*

François Mauriac

Unsere Gnade heißt: täglich lernen dürfen.

Martin Gustl

*Am Leben lernen, das ist das, mit dem der
rechte Mensch nie zu Ende kommt.*

Theodor Heuss

*...aus jeder Lesestunde sollte ein Funke von
Kraft, eine Ahnung von Verjüngung, ein
Hauch von neuer Frische auf den Leser
übergehen.*

Hermann Hesse

*Früchte reifen durch die Sonne. Menschen
reifen durch die Liebe.*

Julius Langbehn

*Einen Menschen lieben, heißt ihn so sehen, wie
Gott ihn gemeint hat.*

Fedor Michailowitsch Dostojewski

*Unser Leben heißt Liebe, und nicht mehr
lieben heißt nicht mehr leben.*

George Sand

M, Maler, gestochen von L. Kilian

Macht · Manieren · Menschen
Menschenliebe · Mühe · Musik
Mut · Mutter · Muße

Die Macht kann nicht milde genug aussehen.

Jean Paul

Wer im Verkehr mit Menschen die Manieren einhält, lebt von seinen Zinsen; wer sich über sie hinwegsetzt, greift sein Kapital an.

Hugo von Hofmannsthal

Merkmal großer Menschen ist, daß sie an andere weit geringere Anforderungen stellen als an sich selbst.

Marie von Ebner-Eschenbach

Das Problem ist nicht die Atomenergie, sondern das Herz des Menschen.

Albert Einstein

Das Leben hat mich gelehrt, daß alles auf die Menschen ankommt, nicht auf die sogenannten Verhältnisse.

Theodor Fontane

Nie werden wir beurlaubt oder entlassen aus der menschlichen Verbundenheit.

Theodore v. Lippmann

Was wir aus Menschenliebe vorhaben, würden wir allemal erreichen, wenn wir keinen Eigennutz einmischten.

Jean Paul

Wer sich selber keine Mühe geben will, darf auch vom Herrgott keine Wunder erwarten.

Heinz Steguweit

Mut, Freudigkeit und Hoffnung sei das Dreigestirn, das man nicht aus den Augen lasse!

Ernst von Feuchtersleben

Nur durch Mut kann man sein Leben in Ordnung bringen.

Marquis de Vauvenargues

Was du deiner Mutter schuldest, weißt du erst, wenn du selbst Kinder hast.

Japan. Sprichwort

Ein Einziges auf Erden nur ist schöner und besser als das Weib, – das ist die Mutter.

Leopold Schefer

Habe Mut zu Spiel und Muße, aus denen Sammlung hervorgeht. Sie allein verbürgen uns die Möglichkeit höheren Daseins.

Karl Kleinschmid

Musik wäscht den Staub des Alltags von der Seele.

Berthold Auerbach

Musik bedeutet Freude

Li Gi

Die Fähigkeit, seine Muße klug auszufüllen, ist die letzte Stufe der persönlichen Kultur, und bislang haben sich nur wenige zu dieser Höhe emporgeschwungen.

Bertrand Russell

N, Narren, gestochen von L. Kilian

Der Nächste · Natur
Das Neue

Auch die, welche dir die Nächsten und Lieb-
sten sind, erträgst du manchmal schwer. Sei
gewiß, es geht ihnen mit dir ebenso. Das
bedenke gut und oft.

Ernst von Feuchtersleben

Früher oder später, aber gewiß immer wird
sich die Natur an allem Tun der Menschen
rächen, das wider sie selber ist.

Johann Heinrich Pestalozzi

Mein Hang zu philosophischem Nachdenken
beruht auf der einfachen Grundlage, daß ich
in jedem Augenblick über das kleinste Stück
Natur irgendwelcher Art in höchste Verwun-
derung geraten kann.

Christian Morgenstern

Mehr und mehr umbranden mich die Wogen
der ewigen Natur und in allen meinen Bezie-
hungen und Handlungen wachse ich in das
All-Menschliche hinein. So gelange ich dahin,
in Ideen zu leben und mit Energien zu wirken,
die unsterblich sind.

Ralph Waldo Emerson

Was kann der Mensch im Leben mehr gewin-
nen, als daß sich Gott-Natur ihm offenbare?

Johann Wolfgang von Goethe

Alles Alte,
soweit es Anspruch darauf hat,
wollen wir lieben.
Aber für das Neue sollen wir
recht eigentlich leben.

Theodor Fontane

O, Organist, gestochen von L. Kilian

Optimisten · Pessimisten

Es gibt keinen traurigeren Anblick als einen jungen Pessimisten – mit Ausnahme eines alten Optimisten.

Mark Twain

Ein Optimist ist ein Mensch, der ein Dutzend Austern bestellt in der Hoffnung, sie mit der Perle, die er darin findet, bezahlen zu können.

Theodor Fontane

Manche Menschen sind nur deshalb Pessimisten, weil sie sich selbst so genau kennen.

Carlo Schmid

Der Pessimist beklagt den Riß in der Hose, der Optimist freut sich über den Luftzug.

Edmond Jaloux

Der Optimist ist ein Mensch, der alles halb so schlimm und doppelt so gut findet.

Heinz Rühmann

P, Pfeifer, gestochen von L. Kilian

Persönlichkeit · Pflicht · Politik

Der Erfolg eines Menschen ist immer im Grundgefüge seiner Persönlichkeit begründet.

Ralph Waldo Emerson

Wir müssen nicht hinten beginnen bei den Regierungsformen und politischen Methoden, sondern wir müssen vorn anfangen, beim Bau der Persönlichkeit, wenn wir wieder Geister und Männer haben wollen, die uns Zukunft verbürgen.

Hermann Hesse

Persönlichkeiten werden nicht durch schöne Reden geformt, sondern durch Arbeit und eigene Leistung.

Albert Einstein

Was den Menschen im Westen fehlt, sind mehr vernünftige Pflichten und weniger zerstörerische Rechte.

Alexander Solschenizyn

Die Politik ist eine Bühne, auf der die Souffleure oft mehr zu sagen haben als die Darsteller.

Harry S. Truman

Q, Qual, gestochen von L. Kilian

Qual · Quarantäne · Quelle

Die unerträglichste Qual wird durch die
Verlängerung des größten Vergnügens hervor-
gerufen.

George Bernhard Shaw

Liebe ist Qual, Lieblosigkeit ist Tod.

Marie von Ebner-Eschenbach

Das Leben ist eine Quarantäne für das Paradies.

Carl Julius Weber

Um an die Quelle zu kommen, muß man
gegen den Strom schwimmen.

Stanislaw Jerzy Lec

R, Reisser, gestochen von L. Kilian

Rast · Rat · Rechnen
Recht · Rede · Reife
Reisen · Ruhe

Ich halte Rasttage auf der Lebensreise für ein großes Glück. Das Immer-im-Trabe-sein drückt nieder, macht alles Schwere und Prosaische noch schwerer und prosaischer, als es ohnehin schon ist, und raubt dem Leben allen „charme". Diesen charme, wenigstens nach meiner mehr heitern und sehr unasketischen Lebensauffassung, soll man ihm aber nicht rauben.

Theodor Fontane

Ein Vorgesetzter erlaubt wohl, daß man ihm hilft, aber daß man ihn übertrifft – niemals! Ein ihm erteilter Rat sehe daher immer aus wie eine Erinnerung an ein weises Wort von ihm selber.

Balthasar Gracian

*Laß von brutalen Gewalten
nie deine Seele knechten;
kannst du nicht recht behalten,
halte doch fest am Rechten.*

Paul Heyse

Wer im Leben nur rechnet, kommt nie auf seine Rechnung.

Albrecht Goes

Rede nur, wenn du etwas Besseres weißt als Schweigen

Pythagoras

Reif sein heißt, in einer Isolierung leben, die sich selbst genügt.

Cesare Pavese

Geh in die Berge, um dich zu erquicken. Der Friede der Natur wird dich durchfluten wie der Sonnenschein die Bäume. Der Wind wird dir seine Frische einhauchen, der Sturm seine Kraft, und die Sorgen werden von dir abfallen wie Herbstlaub.

John Muir

Die besten Entdeckungsreisen macht man nicht in fremden Ländern, sondern indem man die Welt mit neuen Augen betrachtet.

Marcel Proust

Die Reise gleicht einem Spiel; es ist immer Gewinn und Verlust dabei, und meist von der unerwarteten Seite; man empfängt mehr oder weniger, als man hofft, man kann ungestraft eine Weile hinschlendern, und dann ist man wieder genötigt, sich einen Augenblick zusammenzunehmen. Für Naturen wie die meine, die sich gerne festsetzen und die Dinge festhalten, ist eine Reise unschätzbar, sie belebt, berichtigt, belehrt und bildet.

Johann Wolfgang von Goethe

Der Sinn der Ruhe ist: Erfüllt sein von allem.

Friedrich Kayssler

S, Schere, gestochen von L. Kilian

Sagen · Selig
Sinn · Sonnenaufgang
Sorge · Sprechen · Suchen
Schätze · Schatten · Schenken
Schicksal · Schlaf · Schweigen
Standpunkt · Staunen · Stille
Streit · Stunde

Sage nicht alles, was du weißt, aber wisse immer, was du sagst.

Matthias Claudius

Selig ist der Mensch, der mit sich selbst in Frieden lebt.
Es gibt auf Erden kein größeres Glück.

Matthias Claudius

Wenn durch einen Menschen ein wenig mehr Liebe und Güte, ein wenig mehr Licht und Wahrheit in der Welt war, dann hat sein Leben einen Sinn gehabt.

Alfred Delp

Das Publikum beklatscht ein Feuerwerk, doch keinen Sonnenaufgang.

Friedrich Hebbel

Man sollte die Dinge so nehmen, wie sie kommen. Aber man sollte dafür sorgen, daß die Dinge so kommen, wie man sie nehmen möchte.

Curt Goetz

Ein großer Teil der Sorge besteht aus unbegründeter Furcht.

Carl Hilty

Sprich, damit wir uns begegnen!

Ch. Widmer

Was wir sind, ist nichts; was wir suchen, ist alles.

Friedrich Hölderlin

Der meiste Schatten in unserem Leben rührt daher, daß wir uns selbst in der Sonne stehen.

Ralph Waldo Emerson

Hier meine drei Schätze, hütet sie und bewahrt sie: Der erste ist Mitgefühl, der zweite Genügsamkeit, der dritte die Abkehr von dem Wunsch, das erste aller Dinge unterm Himmel zu sein.

Lao-tse

Schenken heißt, einem anderen das geben, was man selber gerne behalten möchte.

Selma Lagerlöf

Das wahre Geschenk macht einen reicher, obwohl man etwas hingibt.

Knut Hamsun

Jedenfalls aber ruht das „Schicksal" in uns und nicht außer uns, und damit bekommt die Oberfläche des Lebens, das sichtbare Geschehen, eine gewisse Unwichtigkeit.

Hermann Hesse

Ein Mühlstein und ein Menschenherz wird stets herumgetrieben:
Wo beides nichts zu reiben hat, da wird es selbst zerrieben.

Friedrich von Logau

Ich weinte, weil ich keine Schuhe hatte, bis ich einen Mann traf, welcher keine Füße hatte.

Helen Keller

Schlaf ist tägliche Wiedergeburt, ist für den ganzen Menschen, was das Aufziehen für die Uhr.

Arthur Schopenhauer

Vom Schweigen schmerzt die Zunge nicht.

Russisch

Der Standpunkt macht es nicht, die Art macht es, wie man ihn vertritt.

Theodor Fontane

Staunen wir doch darüber, daß das Leben uns immerfort beschenkt.

Wladimir Lindenberg

Alles in der Welt ist merkwürdig und wunderbar für ein Paar wohlgeöffnete Augen.

José Ortega y Gasset

Sich ärgern, das tun Erwachsene. Sich freuen und staunen, das tun die Kinder.

Barbara Albrecht

*Dankbarkeit ist staunende Liebe,
und wer staunen und lieben kann,
gehört zu den Gesegneten dieser Erde.*

Manfred Hausmann

Der Weg zu allem Großen geht durch die Stille

Friedrich Wilhelm Nietzsche

Die größten Ereignisse, das sind nicht unsere lautesten, sondern unsere stillsten Stunden.

Friedrich Wilhelm Nietzsche

Ein Streit zwischen wahren Freunden, wahren Liebenden bedeutet gar nichts. Gefährlich sind nur die Streitigkeiten zwischen Menschen, die einander nicht ganz verstehen.

Marie von Ebner-Eschenbach

Uns gehört nur die Stunde. Und eine Stunde, wenn sie glücklich ist, ist viel.

Theodor Fontane

T, Tuch, gestochen von L. Kilian

Tag · Takt · Tiere
Toleranz · Träne · Träume
Treue · Trinken · Tod

*Siehe jeden Tag an wie ein Blatt im Wander-
buch deines Lebens. Sorge dann dafür, daß auf
jedem Blatt etwas Gutes aufgezeigt ist.*

Alban Stolz

*Wir können den Tag nicht verlängern, aber
wir können ihn verschönern.*

Wladimir Lindenberg

Takt ist die Voraussetzung für echten Kontakt.

H. Lancelot

*Toleranz ist das Wichtigste, was die Mensch-
heit heute braucht.*

Lew Kopelew

*Der untrüglichste Gradmesser für die Her-
zensbildung eines Volkes und eines Menschen
ist, wie sie die Tiere betrachten und behan-
deln.*

Berthold Auerbach

*Eine Träne zu trocknen ist ehrenvoller
als Ströme von Blut zu vergießen.*

Lord Byron

*Nenne dich nicht arm, weil deine Träume
nicht in Erfüllung gegangen sind; wirklich
arm ist nur, der nie geträumt hat.*

Ebner-Eschenbach

Die Treue ist das Mark der Ehre

Otto von Bismarck

*Trinke, weil du glücklich bist! Aber nie aus
Kummer!*

Gilbert Keith Chesterton

... nichts auf dieser Erde ist von Dauer, kein Ding und kein Mensch gehört uns. Alles ist uns von einer höheren Macht auf eine unbestimmte Zeit geliehen, wir müssen Wache halten und dankbar sein, damit wir nicht eines Tages mit leeren Händen und einem trostlosen Herzen dastehen.

Zenta Maurina

Ich wußte plötzlich wieder, daß der Tod unser kluger und guter Bruder ist, der die rechte Stunde weiß und dessen wir mit Zuversicht gewärtig sein dürfen. Und ich begann auch zu verstehen, daß das Leid und die Enttäuschungen und die Schwermut nicht da sind, um uns verdrossen und wertlos und würdelos zu machen, sondern um uns zu reifen und zu verklären.

Hermann Hesse

Denn auch der Tod ist Leben, oder besser, er ist der rasche Übergang zu einer anderen Lebensform. Wir ziehen das alte Gewand aus und ein neues an, wir gehen nicht etwa aus dem Hellen ins Dunkle, sondern von Licht zu Licht, so wie wir hier gelebt haben; wir nehmen das Leben da, wo wir es hier verlassen, in neuer Gestalt wieder auf. So ist der Tod nichts, was wir zu fürchten hätten, sondern lächelnd können wir ihn willkommen heißen, wenn er auf seine Art und zu seiner Zeit an uns herantritt.

Ralph Waldo Trine

U, Uhr, gestochen von L. Kilian
Die Buchstaben U und V sind in seinem Alphabet
gleich.

Umstände · Undankbarkeit
Unglück · Universalität
Unwesentliches · Unwissen
Unzufriedenheit · Urteilen
Verbessern · Vergebung · Vergänglichkeit
Verlust · Vermögen · Vernunft
Vertrauen · Verzeihen · Verzweifeln
Vorgänger · Vorliebe · Vorurteil

*Die Menschen machen immer die Umstände
für das verantwortlich, was sie geworden sind.
Ich glaube nicht an Umstände. Die Leute, die
in dieser Welt vorwärts kommen, das sind jene
Aufrechten, die überall die Umstände zu
finden suchen, die sie brauchen, und wenn sie
diese nicht finden können, so schaffen sie sich
die entsprechenden Bedingungen.*

George Bernard Shaw

*Das schwerste Gebrechen des Menschen ist die
Undankbarkeit.*

José Ortega y Gasset

*Es ist ein Unglück,
nie Unglück zu haben.*

Ludwig Reiners

*Den Glauben, daß uns kein Glück oder
Unglück geschieht, dem wir nicht einen Sinn
und eine Wendung ins Wertvolle geben können, den habe ich heute wie immer und gebe
ihn weder für mich noch für andere auf.*

Hermann Hesse

*Universalität besteht nicht darin, daß man
vieles weiß, sondern darin, daß man vieles
liebt.*

Jacob Burckhardt

*Neben der edlen Kunst, Dinge zu verrichten,
gibt es die edle Kunst, Dinge unverrichtet zu
lassen. Die Weisheit des Lebens besteht im
Ausschalten des Unwesentlichen.*

Lin Yu-Tang

*Sein eigenes Unwissen zu erkennen, ist der
beste Teil des Wissens.*

Laotse

*Der unzufriedene Mensch findet keinen be-
quemen Stuhl.*

Benjamin Franklin

Wir müssen innerlich ein wenig an uns arbeiten und suchen, milder in unserem Urteil, anspruchsloser in unsern Forderungen zu werden. Wir müssen anfangen, die Leute zu nehmen, wie sie sind, und zur Erleichterung dieser Arbeit immer eingedenk sein, daß in Nord und Süd, West und Ost immer wieder die alte Geschichte ist und daß wir selber die Fehler teilen, die wir an andern rügen und verdammen.

Theodor Fontane

Die Weisen sagen: Beurteile niemand, bis du an seiner Stelle gestanden hast.

Johann Wolfgang von Goethe

Der Gedanke an die Vergänglichkeit aller irdischen Dinge ist ein Quell unendlichen Leid und ein Quell unendlichen Trostes.

Marie von Ebner-Eschenbach

Das Beste, was man einem Feind bieten kann, ist Vergebung; einem Gegner Toleranz; einem Freund Gehör; einem Kind ein gutes Beispiel; seinem Vater Ehrfurcht; seiner Mutter ein Betragen, auf das sie stolz sein kann; sich selbst Achtung; allen Menschen Nächstenliebe.

Benjamin Franklin

Der Mensch möge auf das Bleibende in dem Veränderlichen und Fließenden blicken. Er möge den Verlust von einstmals hochgeschätzten Dingen ertragen lernen, ohne seine Verehrung zu verlieren.

Ralph Waldo Emerson

Wenn uns etwas genommen wird, so ist es eigentlich nur zurückgegeben.
Wenn man dies bedenkt, dann wird man seine Gemütsruhe nie verlieren.

Epiktet

Das Leben besteht aus vielen kleinen Münzen,
und wer sie aufhebt, hat ein Vermögen.

Jean Anouilh

Leidenschaften sind die Pferde am Wagen des
Lebens; aber wir fahren nur gut, wenn der
Fuhrmann Vernunft die Zügel lenkt.

Karl Julius Weber

Vertrauen ist für alle Unternehmungen das
große Betriebskapital, ohne welches kein
nützliches Werk auskommen kann. Es schafft
auf allen Gebieten die Bedingungen gedeih-
lichen Geschehens.

Albert Schweitzer

Wer den anderen Menschen verurteilt,
kann irren,
wer ihm verzeiht,
irrt nie.

Jörg Zink

Warum verzweifeln?
Wir haben so viel Himmel über uns.

Raoul Follerau

Selbst das Genie steht immer auf den Schul-
tern seiner Vorgänger.

Max Liebermann

Es ist immer schön, wenn jemand neben
seinem Metier ein Gebiet seiner Vorliebe in
vollkommener Weise beherrscht – das gibt eine
Idee vom Luxus dieser Welt.

Ernst Jünger

Vorurteile sind die Hühneraugen des Geistes.

Gustave Flaubert

W, Wichse, gestochen von L. Kilian

Wälder · Wahrheit · Wandern
Weise · Weisheit · Werden
Wert · Widerwärtigkeiten
Worte · Wünsche · Würde · Wunder

Weil ich als Kind die Wälder schweigen und wachsen sah, konnte ich immer ein stilles Lächeln für das aufgeregte Treiben haben, mit dem die Menschen ihre vergänglichen Häuser bauen.

Ernst Wiechert

O was für eine gesunde, gute Freude ist das Wandern. Nur harmlose Freuden sind wahre Freuden.

Robert Walser

Die Wahrheit, die unsere Zeit auf der ganzen Linie zu allermeist angeht, ist die, daß man ohne die ewigen Bindungen nicht nur die Ewigkeit, sondern auch die Zeitlichkeit verliert.

Gertrud von Le Fort

Wahrheit ist eine widerliche Arznei; man bleibt lieber krank, ehe man sich entschließt, sie einzunehmen.

August von Kotzebue

Weise ist der Mensch, der nicht den Dingen nachtrauert, die er nicht besitzt, sondern sich der Dinge erfreut, die er hat.

Epiktet

Gott gebe mir die Gelassenheit, Dinge hinzunehmen, die ich nicht ändern kann, den Mut, Dinge zu ändern, die ich ändern kann, und die Weisheit, das eine vom anderen zu unterscheiden.

Christof Friedrich Oetiger

Ich fürchte den Erfolg. Erfolg haben bedeutet, daß man seine Aufgabe auf Erden erfüllt hat wie das Spinnenmännchen, das getötet wird, wenn sein Werben Erfolg gehabt hat. Ich liebe den Zustand unablässigen Werdens, bei dem das Ziel vor mir liegt und nicht hinter mir.

Bernard Shaw

Die Dinge haben nur den Wert, den man ihnen verleiht.

Jean Baptiste Molière

Widerwärtigkeiten sind Pillen, die man schlucken muß, nicht kauen.

Georg Christoph Lichtenberg

Wissen entfernt von Gott, viel Wissen führt zu ihm zurück.

Roger Martin du Gard

Wenn du willst, daß deine Worte keinen Schaden stiften, dann beachte fünf Dinge: zu wem du sprichst, über wen du sprichst, wie, wann und wo du sprichst.

W. E. Norris

Ein gutes Wort kann einen Menschen drei Wintertage lang wärmen, ein böses drei Sommertage kalt machen.

Chunglang

Was ich wünschte vor manchem Jahr, hat das Leben mir nicht beschert, aber es hat mich dafür gelehrt, daß mein Wunsch ein törichter war.

Emanuel Geibel

Für mich sind die Gefühle, die dem Menschen seine Würde verleihen, Liebe, Demut, Glaube. Sie wohnen im Menschen ebenso wie das Göttliche in den Atomen. Sobald jemand auf dem richtigen Wege ist, verfügt er über Gewißheiten und Ahnungen, die er auf andere überträgt.

Ralph Waldo Emerson

Wer sich nicht mehr wundern und in Ehrfurcht verlieren kann, der ist seelisch bereits tot.

Albert Einstein

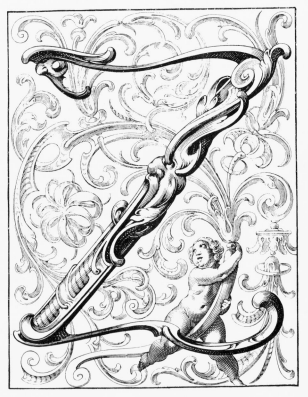

X Y Z, gestochen von L. Kilian

Zeit · Ziel · Zweifel
Zufriedenheit · Zunge
Zuhause · Zuversicht

Es ist uns nicht zu wenig Zeit gegeben, wir verschwenden nur zu viel.

Seneca

Das einzige Mittel, Zeit zu haben, ist: sich Zeit zu nehmen.

Bertha Eckstein

Zeitvertreib ist etwas Abscheuliches. Man vergeudet dabei das Kostbarste, das Gott uns gegeben hat.

Federico Garcia Lorca

Die Zeit heilt nicht alles, aber sie rückt doch das Unheilbare aus dem Mittelpunkt

Ludwig Marcuse

Die Zeit setzt sich nicht nur aus Stunden und Minuten zusammen, sondern auch aus Liebe und Wille: man hat wenig Zeit, wenn man wenig Liebe hat.

Alexandre Vinet

Der Langsamste, der sein Ziel nur nicht aus den Augen verliert, geht noch immer geschwinder, als der, der ohne Ziel umherirrt.

Gotthold Ephraim Lessing

Nur der Geist, der unverrückbar an ein fernes, schönes Ziel glaubt, vermag die Lebenskraft sich zu erhalten, die ihn über den Alltag hinwegführt.

Gustav Stresemann

Das Ziel: Dem Unverständlichen gewachsen sein, den Tröster in sich selber haben, das ist alles. Dem einen hilft Erkennen, dem andern Glauben und mancher braucht beides, und den meisten hilft beides nicht viel.

Hermann Hesse

Zuhause ist, von wo man ausgeht.

Thomas Stearns Eliot

Mehr Menschen stolpern über ihre Zunge als über ihre Füße.

Tunesisches Sprichwort

Das Glück der Zufriedenheit ist ein Parfüm, mit dem man andere nicht besprengen kann, ohne selbst ein paar Tropfen abzubekommen.

Ralph Waldo Emerson

Der Zuversichtliche ist unverwundbar.

Ernst R. Hauschka

Zweifeln ist der feinste Dietrich.

Gracian

Zweifel und Neugierde sind die Triebkräfte der Forschung. Glaube und Demut sind die bewegenden Kräfte der Religion.

Albert Einstein

Geburtstagskalender _Januar_

1	
2	
3	
4	
5	
6	
7	
8	
9	
10	
11	
12	
13	
14	
15	
16	
17	
18	
19	
20	
21	
22	
23	
24	
25	
26	
27	
28	
29	
30	
31	

1
2
3
4
5
6
7
8
9
10
11
12
13
14
15
16
17
18
19
20
21
22
23
24
25
26
27
28

Geburtstagskalender *März*

1
2
3
4
5
6
7
8
9
10
11
12
13
14
15
16
17
18
19
20
21
22
23
24
25
26
27
28
29
30
31

Geburtstagskalender

1	
2	
3	
4	
5	
6	
7	
8	
9	
10	
11	
12	
13	
14	
15	
16	
17	
18	
19	
20	
21	
22	
23	
24	
25	
26	
27	
28	
29	
30	

Geburtstagskalender *Mai*

1
2
3
4
5
6
7
8
9
10
11
12
13
14
15
16
17
18
19
20
21
22
23
24
25
26
27
28
29
30
31

Geburtstagskalender

1	
2	
3	
4	
5	
6	
7	
8	
9	
10	
11	
12	
13	
14	
15	
16	
17	
18	
19	
20	
21	
22	
23	
24	
25	
26	
27	
28	
29	
30	

Geburtstagskalender *Juli*

1
2
3
4
5
6
7
8
9
10
11
12
13
14
15
16
17
18
19
20
21
22
23
24
25
26
27
28
29
30
31

August Geburtstagskalender

1	
2	
3	
4	
5	
6	
7	
8	
9	
10	
11	
12	
13	
14	
15	
16	
17	
18	
19	
20	
21	
22	
23	
24	
25	
26	
27	
28	
29	
30	
31	

Geburtstagskalender *September*

1
2
3
4
5
6
7
8
9
10
11
12
13
14
15
16
17
18
19
20
21
22
23
24
25
26
27
28
29
30

Oktober   Geburtstagskalender

1	
2	
3	
4	
5	
6	
7	
8	
9	
10	
11	
12	
13	
14	
15	
16	
17	
18	
19	
20	
21	
22	
23	
24	
25	
26	
27	
28	
29	
30	
31	

Geburtstagskalender *November*

1	
2	
3	
4	
5	
6	
7	
8	
9	
10	
11	
12	
13	
14	
15	
16	
17	
18	
19	
20	
21	
22	
23	
24	
25	
26	
27	
28	
29	
30	

Dezember   Geburtstagskalender

1	
2	
3	
4	
5	
6	
7	
8	
9	
10	
11	
12	
13	
14	
15	
16	
17	
18	
19	
20	
21	
22	
23	
24	
25	
26	
27	
28	
29	
30	
31	

Der erste Namensträger, von dem bekannt wurde, daß er sich literarisch betätigte, war Jakob Schwieger, der als „Filidor der Dorfferer" den dreißigjährigen Krieg überstand und von 1654 bis 1667 poetische Sammlungen herausgab. Seitdem vergingen dreihundert Jahre, in denen die Nachkommen profanen Berufen nachgingen: Ackerbürger, Handwerker und Kaufleute. So auch der 1913 in Berlin geborene Heinz G. Schwieger, der zunächst als Papierfachmann ausgebildet wurde, später Druck und Werbung studierte. Bedingt durch die Verhältnisse nach dem Kriege, durchlief er 1945 nochmals im Zeitraffer die Berufe der Vorfahren; er wurde Landarbeiter, Schweinemeister, Schäfer, Fleischbeschauer und interemistischer Bürgermeister einer kleinen Gemeinde im Mecklenburgischen. 1950 folgte für 25 Jahre eine selbständige Tätigkeit als Unternehmensberater namhafter Unternehmen.

Während einer durch Krankheit bedingten Arbeitspause schrieb er 1956 die Betrachtung „Des Menschen Engel ist die Zeit", von der 5.000 Exemplare von einem Konzern als Präsent zum Jahreswechsel verschenkt wurden. Der überraschende Widerhall dieser Aufmerksamkeit veranlaßte die Geschäftsleitung, ihn damit zu beauftragen, jährlich eine Betrachtung exclusiv für dieses Unternehmen herauszugeben. So entstand die Blaue Reihe, die nicht den Ehrgeiz hat, „Literatur" zu sein, sondern vornehmlich eine Lebenshilfe geben möchte in einer Zeit, in der man nach Richtpunkten Ausschau hält. Die Zuschriften lassen erkennen, daß diese Absicht verstanden wird.

Die blaue Reihe

Ein liebenswürdiges und besinnliches Geschenk für die verschiedensten Anlässe

Von den blauen Bändchen wurden bisher über 1 000 000 Stück als Geschenk verwendet, offenbar weil es sich um nachdenklich stimmende und dennoch kurzweilige, lebensnahe Betrachtungen handelt, die manchem in unserer Zeit etwas zu sagen haben.

Wie oft ist man um ein kleines Geschenk verlegen, wenn man einen Besuch macht, wenn es sich um einen Geburtstag, eine Krankenvisite oder andere Anlässe handelt.

Mit dieser Reihe sind Sie immer gut gerüstet und können gewiß sein, den Empfängern Freude zu bereiten.

Wer einen Band kennengelernt hat, möchte meist alle besitzen.

Des Menschen Engel ist die Zeit

Die nachdenkliche, unterhaltsame Betrachtung geht den Zusammenhängen der Zeitnot, der Not unserer Zeit nach.

Von der Art zu leben hängt es ab, ob die Zeit des Menschen Engel ist. Die Lektüre wird für den Leser zu einer Besinnungspause, die mit Sicherheit von Gewinn ist.

Lebenswerte, liebenswerte Jahre

Die zweite Lebenshälfte zu meistern, will vielen schwierig, einigen unmöglich erscheinen, obwohl, richtig verstanden, das Alter unser „zweites Leben" sein kann. Jede Lebensstufe will recht und voll ausgelebt sein, wenn die nächste Zeitspanne Frucht, Reife oder Vollendung bringen soll.

Das Glück unserer Tage

Wie häufig wünschen wir Glück, ohne dabei an das rechte, das eigentliche Glück zu denken. Wissen wir denn, was Glück ist? Wo es zu finden ist? Carmen Sylva rät, es nicht in einem ewig lachenden Himmel zu suchen, sondern in ganz feinen Kleinigkeiten, aus denen wir unser Leben zurechtzimmern.

Pflicht ward Freude

Die Arbeit ist der Mittelpunkt für das Wesen jedes Menschen. Wer in seiner Arbeit zufrieden ist, der ist zufrieden.
Bei vielen Erfindungen und Dienstleistungen stand am Anfang die Bereitschaft zum Dienen, die später nach ausdauernder, aufopfernder Arbeit großen Gewinn brachte, eben weil sie ihre Wurzel in einer tätigen Menschenliebe hatte.

Mütter sind unsterblich

Eine rechte Mutter zu sein, das ist
eine schwerer Dienst, das ist wohl
die höchste Aufgabe im Menschen-
leben.
Über das Lebensnotwendige hinaus
schenkten Mütter ihren schöpfe-
risch begabten Kindern Verständnis,
halfen und ermunterten sie. Be-
rühmt geworden, setzten Söhne
und Töchter ihnen in ihren Briefen
und Werken unvergängliche Denk-
mäler.

**Mütter
sind unsterblich**

Die Sonne scheint für alle

Woher in dieser Welt noch Heiterkeit und Gelassenheit nehmen?
Wo Trost finden, wie Mut gewinnen
oder Güte bewahren? Seelische
Widerstandskraft kann nur aus
wahrhafter Selbsterkenntnis erwach-
sen, aus der Aneignung von Werten,
die es uns ermöglichen, Freude zu
empfinden und weiterzugeben.

**Die Sonne
scheint für alle**

Der Kreis der Sehnsucht
(Preis der Freiheit)

Materielle und geistige Freiheit
sind nicht voneinander zu trennen.
Wohlstand und Gewöhnung haben
die Anziehungskraft dieses Ideals
verblassen lassen. An uns ist es,
die Sache der inneren und äußeren
Freiheit zu vertreten und ihr großes
Bild neu zu schaffen.

**Der Kreis
der Sehnsucht**

Das Leben will geliebt sein

Wir alle müssen das Leben meistern, aber die einzige Art, mit dem Leben fertig zu werden, besteht darin es zu lieben. Dabei lernen wir uns und unsere Mitmenschen kennen und wir verstehen schließlich daß wahre Sicherheit einzig und allein tief in uns selber liegt.

Eines Freundes Freund zu sein

Die Freundschaft ist neben der Liebe das nicht minder bedeutende Gefühl, dessen jeder Mensch bedarf, andernfalls er Schaden an seiner Seele nimmt. Liebe und Freundschaft sind die beiden Güter, die den Armen zauberhaft bereichern und deren Mangel den Reichen bitter darben läßt.

Jeder Tag ein neues Leben

Wo die materielle Sicherheit gefährdet erscheint und die religiöse Geborgenheit fehlt, stellen Angst und Sorge den Fuß in die Tür. Frau Sorge und Mutter Hoffnung ringen um den Menschen. Zunächst gilt es, die Ursachen zu analysieren und sich der Hilfen zu vergewissern, die auch den dunklen Tag erhellen, denn es fehlt auch in dieser Zeit nicht an Auswegen.

Die Kunst der Muße

Die Muße des Menschen ist der
letzte Unterschlupf für seine indi-
viduellen Regungen. Recht ver-
standene Muße kann zum natür-
lichen Gegenpol unserer Arbeit
werden, aus ihr können neue seelische und physische Kräfte er-
wachsen, die uns befähigen, dem
Leben die guten Seiten abzuge-
winnen.

Die Kunst der Muße

Gefährten eines Lebens

Das Gelingen oder Scheitern liegt
bereits in der Auffassung, daß die
Ehe dazu bestimmt sei, glücklich zu
machen, also ein „Recht auf Glück"
bestehe, während das Glück allein
im gegenseitigen Schenken liegt.
Wer diese Kunst beherrscht, wird er-
fahren, daß der Schenkende immer
zugleich der Beschenkte und der
Beglückte ist.

Gefährten
eines Lebens

Der Brief ein Geschenk

Ein Geschenk, das dem Geber keinen materiellen Einsatz, wohl aber
Zeit abverlangt, ist der Brief. Welch
guter Rat, Freunden, die sich seit
langem eine besinnliche Stunde mit
uns wünschen, anstelle anderer
Dinge die Zeit zum Geschenk zu
machen, die man für einen guten
Brief benötigt. Zu der Betrachtung
gehören 24 Briefe, die zu den gehalt-
vollsten Beispielen zählen.

Der Brief
ein Geschenk

Tagebuch der Freude

Was der Schlaf für den Körper bedeutet, ist die Freude für Geist und Seele. Viele Freuden werden übersehen, weil die Menschen meist nur in die Höhe schauen und was zu ihren Füßen liegt, nicht sehen: die zahllosen kleinen Freuden, aus denen sich das Glück zusammensetzt.

Anders als die Träume

Der Dichter Friedrich Hebbel bezeichnet es als ein herrliches Vermögen der Menschheit, sich schöne Träume zu bilden, einerlei, ob sie nun Realität haben oder nicht, und ein anderer Schriftsteller unserer Tage fügt hinzu, daß es die höchste Weisheit sei, hochgespannte Träume nicht aus den Augen zu verlieren, während man Ihnen nachstrebe.

Leben heißt hoffen

Hoffnungslosigkeit kann tödlich sein, umgekehrt löst Hoffnung neue Kräfte aus. Wir kommen nie aus der Traurigkeit heraus, wenn wir uns ständig den Puls fühlen; ein Sonnenstrahl reicht aus, um viel Dunkel zu erhellen.
Augenmaß und Geduld bewirken viel. Wichtiges wichtig nehmen und Unwichtiges unwichtig. Wer klug ist, mischt eines mit dem anderen: er hofft nicht ohne Zweifel und zweifelt nicht ohne Hoffnung.

Offene Tore zum Paradies

Ein sanftes Eden
liegt im Menschenherzen,
und es blühen darin
leuchtende und dunkle Blumen.
Wir lernen den Gedanken der ewigen
Wiederkehr verstehen Alles
Geschehen ist Trennen und Finden.
Alles Wiederfinden ist Rettung aus
Einsamkeit.
Wir können aus der Erde die Hölle
machen, aber auch das Paradies, wenn
wir in alles die Wahrheit Gottes
hineinbauen.

Mit Büchern leben

Bücher lesen heißt wandern in ferne
Welten, aus den Stuben über die
Sterne. Schlagt ein Buch auf: Freunde
kommen Euch entgegen.

Das Leben hat kein Geländer

Das Leben bietet keine Sicherheit
außer der, die tief in uns selbst liegt.
Selbstvertrauen, Begeisterung,
Können, Fleiß und Beharrlichkeit
schirmen uns vor den Gefahren ab.

Und ewig bleibt das Staunen

Staunen und Fragen ist der Anfang
jeder Philosophie.
Wer jung bleiben will, muß sich die
Fähigkeit des Staunens erhalten;
er wird ungeahnte Wunder entdecken.

Im Zauberreich der Töne

Viele Augenblicke unvermischt
reinen Glücks verdanken wir der
Musik. Sie läßt uns das Leben los-
gelöst von allem Stofflichen im
Lichte idealer Verklärung erscheinen.
Musik wäscht den Staub des Alltags
von der Seele.

Schicksal und Ausgleich

Der Schlüssel zum Glück ist das
Bestreben, unser Denken mit dem
göttlichen Geist, unser Leben mit
dem Universum in Einklang zu bringen.
R. W. Emerson zeigt auf, was uns
schicksalhaft vorgegeben ist und was
wir zu tun vermögen.

Jahreszeiten eines Lebens

H. G. Schwieger, Autor und Herausgeber der Blauen Reihe, zieht in einem Rückblick das Fazit seines Lebens. Der Bogen ist weit gespannt. Er reicht vom Kaiserreich bis zur Gegenwart, sieben Jahrzehnte, die unter vier Staatsformen durchlebt wurden.

Das ABC guter Gedanken

Eine Sammlung von 300 Aphorismen zu 170 Begriffen – von Alter bis Zuversicht – mit einem Geburtstagskalender.

Der Garten – Balsam für die Seele

Eine beschauliche, zugleich praktische Abhandlung für alle Gartenfreunde.

Gedanken zu Papier gebracht

Daß wir als Menschen leben und ein ehrlich' Gedächtnis hinterlassen, haben wir dem Papier zu verdanken. Der Chronist berichtet von herzerfrischenden und nachdenklich stimmenden Ereignissen, die von Menschen und Papier handeln.

Mosaik der Lebensfreude

Als ein Symbol unseres Lebens hat das Mosaik seinen Reiz. Wenn wir für jeden Tag einen Stein einsetzen, haben wir etwa 30 000 Steine für dieses Mosaik zur Verfügung. An uns liegt es, wie farbig und harmonisch wir unser »Lebensmosaik« gestalten.

Da lächelt der UHU
Aphorismen 2000

Neue Themen tauchen auf, die der Aphorismus alter Prägung nicht kannte; sie reichen von Abrüstung bis Zivilisation. Etwa 500 Beispiele, vorwiegend von Zeitgenossen, legen Zeugnis ab für den modernen Aphorismus 2000.

Man reist ja nicht um anzukommen

Was ist Reisen? Ein Ortswechsel?
Keineswegs! Beim Reisen wechselt
man die Meinungen und Vorurteile.
Das intelligente Reisen, das Verständnis fremder Völker und Länder
will gelernt sein. Reisen ist leben,
wie umgekehrt Leben reisen ist.

Man reist ja nicht
um anzukommen

Ein Jahr zieht vorüber

Der Autor läßt uns an dem Ablauf
eines Jahres – seines Lebensjahres –
teilnehmen, an Erlebnissen, Be-
obachtungen und Gedanken, an
Erinnerungen, Überlegungen und
Vorsätzen, die vom Beginn eines
neuen Jahres bis zu seinem Aus-
klang reichen.

Ein Jahr
zieht vorüber